PASSEPEUR PLUS

LA PARADE DES MONSTRES

Créé par
Richard Petit

boomerang

2e impression : juillet 2015

Créé par Richard Petit

Dépôt légal : Bibliothèque et Archives
nationales du Québec, 3e trimestre 2013

ISBN : 978-2-89595-719-5

Imprimé au Canada

Gouvernement du Québec – Programme de crédit d'impôt
pour l'édition de livres – Gestion SODEC

Boomerang éditeur jeunesse remercie la SODEC
pour l'aide accordée à son programme éditorial.

Nous reconnaissons l'aide financière
du gouvernement du Canada par l'entremise
du Fonds du livre du Canada (FLC)
pour nos activités d'édition.

edition@boomerangjeunesse.com
www.boomerangjeunesse.com

TU CROIS AVOIR CHOISI CE LIVRE? C'EST PLUTÔT CETTE AVENTURE QUI T'A SÉLECTIONNÉ...

OUI! Car tu es la seule personne capable de mener à bien une grande mission… SAUVER SOMBREVILLE!

Dire que tout a commencé par une simple parade nocturne. Les gens ont d'abord cru à l'arrivée d'un cirque ambulant et se réjouissaient en regardant passer le défilé. MAIS SOUDAIN, CE FUT LA PANIQUE! Les monstres transportés par les chars allégoriques se sont mis à attaquer les spectateurs et à tout saccager dans les rues et les maisons. Mais d'où sont sorties ces terrifiantes créatures? Et qui les a envoyées? QUI? En ce moment même, ton quartier subit un assaut qui ressemble fort à un massacre... En fait, c'est carrément UNE DÉVASTATION! Les monstres qui ont envahi les rues et détruisent tout sur leur passage cherchent tout simplement à s'emparer de Sombreville pour en faire leur ville. Un endroit où règnera le chaos, la désolation, la terreur... Mais toi, tu n'as pas l'intention de les laisser faire... NON! Cette nuit, tu vas affronter tous ces monstres. ATTENTION! Il te faudra faire preuve d'un courage hors du commun si tu veux espérer surmonter les multiples dangers qui t'attendent. Il est ici complètement inutile de te souhaiter bonne chance, car tu auras besoin de bien plus que cela pour survivre à cette très longue nuit...

BIENVENUE AU CENTRE DE FORMATION PASSEPEUR

Te lancer tête première dans l'action sans te préparer serait de la pure folie. Alors, vaut mieux parfaire tout d'abord tes connaissances et tes aptitudes.

Pour t'aider dans cette mission périlleuse, tu seras accompagné d'un ami très cher... TON KRASHEUR! Ce krasheur est un pistolet désintégrateur cool et très puissant. Si ton activité préférée est le bousillage des méchants, tu seras servi. Pour commencer, il faut t'entraîner à t'en servir.

Si tu tournes les pages de ton livre, tu remarqueras, sur les images en bas à gauche, un monstre, ton krasheur, et le rayon lancé par ton arme. Ce monstre représente tous les ennemis que tu vas affronter dans ton aventure. Plus tu t'approches du centre du livre, plus le rayon destructeur se rapproche du monstre. JETTE UN COUP D'ŒIL!

Lorsque, dans ton aventure, tu fais face à un ennemi et qu'il t'est demandé d'essayer de le pulvériser avec ton krasheur, mets un signet à la page où tu es rendu, ferme ton livre et rouvre-le en essayant de viser le milieu du livre. Si tu t'arrêtes sur une image semblable à celle-ci,

TU AS RATÉ TON TIR! Alors, tu dois suivre les instructions du numéro où tu as mis ton signet. Exemple : *Tu as raté ton tir, rends-toi au numéro 27.*

Si tu réussis par contre à t'arrêter sur une des six pages centrales du livre portant cette image,

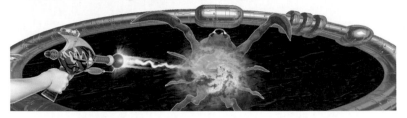

TU AS PULVÉRISÉ TON ENNEMI! Tu n'as plus qu'à te diriger à l'endroit indiqué dans le texte où tu as mis ton signet. Exemple : *Tu as réussi à pulvériser ton ennemi, rends-toi au numéro 43.*

VAS-Y! Fais quelques essais…

LES PAGES DU DESTIN

Lorsqu'il t'est demandé de TOURNER LES PAGES DU DESTIN afin de savoir si un monstre va t'attraper, mets un signet à la page où tu es rendu et fais tourner les pages du livre rapidement. Ensuite, arrête-toi AU HASARD sur l'une d'elles. Sur les pages de droite, il y a trois icônes. Si tu retrouves cette icône-ci sur la page où tu t'es arrêté :

TU T'ES FAIT ATTRAPER! Alors, tu dois suivre les instructions du numéro où tu as mis ton signet. Exemple : *Le monstre a réussi à t'attraper! Rends-toi au numéro 16.*

Tu es plutôt tombé sur cette icône-là?

ALORS, TU AS RÉUSSI À T'ENFUIR! Tu dois donc suivre les instructions du numéro où tu as mis ton signet. Exemple : *Tu as réussi à t'enfuir! Rends-toi au numéro 52.*

Lorsqu'il t'est demandé de TOURNER LES PAGES DU DESTIN afin de savoir si un monstre t'a vu, fais la même chose. Tourne les pages et arrête-toi AU HASARD sur l'une d'elles. Si, sur cette page, il y a cette icône-ci :

 LE MONSTRE T'A VU! Alors, tu dois te rendre au numéro indiqué dans le texte.

Tu es plutôt tombé sur celle-là?

 IL NE T'A PAS VU! Rends-toi au numéro correspondant.

Afin de savoir si une porte est verrouillée ou non, fais tourner les pages et si, sur cette page, il y a cette icône-ci :

 LA PORTE EST FERMÉE! Alors, tu dois te rendre au numéro indiqué dans le texte.

Tu es tombé sur celle-là?

 ELLE EST OUVERTE! Rends-toi au numéro correspondant à l'endroit où la porte s'ouvrira.

TA VIE NE TIENT QU'À UN FIL...

Cette vie que tu possèdes pour cette aventure comporte dix points. À chaque coup porté contre toi, elle descendra d'un point. Si jamais elle tombe à zéro, ton aventure sera terminée, et tu devras recommencer au début du livre.

COMMENT TENIR LE COMPTE

 Sur cette page se trouve ta ligne de vie. BRICOLAGE OBLIGE! Tu dois tout d'abord découper les petites lignes pointillées jusqu'au point rouge, et ensuite plier les dix petits rabats pour cacher complètement le squelette.

 Lorsqu'il t'arrivera, au cours de ton aventure, de recevoir un coup, tu devras t'enlever un point de vie en dépliant un petit rabat de cette façon.

 Et ainsi de suite, chaque fois qu'il t'arrivera malheur, ce sera toujours indiqué.

 Si le squele[tte] retrouve com[ment] ment découvert, [c]'est terminé pour toi.

TU DOIS ALORS RECOMMENCER AU DÉBUT DU LIVRE!

RASSURE-TOI! Tu pourras retrouver partout des élixirs cachés qui augmenteront ta ligne de vie. Si jamais tu en trouves, tu n'auras qu'à plier un petit rabat pour soigner tes blessures.

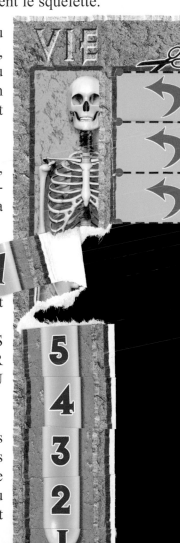

TU ES FIN PRÊT! *Rends-toi au numéro 1.*

VIE

10
9
8

1

PEU DE GENS VERRONT LE SOLEIL SE LEVER DEMAIN MATIN...

De grosses gouttes de sueur commencent à couler sur ton front, et ce n'est pas parce qu'il fait chaud dans la classe... NON! C'est parce que tu es effrayé... TRÈS EFFRAYÉ!

Entouré des autres élèves aussi terrorisés que toi, tu restes figé derrière ton pupitre au fond de la grande pièce. Le professeur vous regarde tous d'un air des plus méchants. Ses yeux rouges ressemblent à des taches de sang... C'EST UN ZOOMBIEN! Tu t'en doutais parce que tu sais qu'il y en a au moins un dans CHAQUE école.

Tu voudrais te mettre à courir vers la porte et quitter la classe au plus vite, mais tu ne peux pas, car tu es retenu à ton siège par une grosse flaque de glu dégoûtante.

Des insectes répugnants sortent soudain des oreilles de votre professeur et se mettent à ramper frénétiquement partout sur lui pour ensuite aller se cacher sous ses vêtements.

Autour de toi, les autres élèves commencent à te regarder de façon bizarre. Certains se pourlèchent même les babines. Tu comprends alors qu'il n'y a que toi qui n'as pas encore été transformé par ces ignobles Zoombiens.

Tandis que tu imagines le pire, tes amis se lèvent tous en même temps, lentement, dans une sorte de chorégraphie funèbre. Ensuite, comme des loups affamés, ils se jettent furieusement sur toi en grognant...

Tu te réveilles en sursaut au numéro 6.

LES PAGES DU DESTIN

19

26

8

Rends-toi au numéro inscrit à l'endroit où tu veux maintenant te positionner pour surveiller.

LES PAGES DU DESTIN

3 Vont-ils parvenir à te rattraper et t'écraser avec les roues de leur camion infernal?

Pour le savoir, mets un signet à cette page, ferme ton livre et dépose-le debout dans ta main.

Si tu parviens à tenir ton livre en équilibre dans ta main pendant trois secondes sans qu'il tombe, tu as réussi à esquiver leur attaque. Rends-toi au numéro 22.

Si ton livre tombe avant que les trois secondes se soient écoulées, les « que't'choses » t'ont malheureusement rattrapé avec leur camion. Va dans ce cas au numéro 33, et attends-toi au pire.

4 Immobile devant ce char allégorique qui passe dans la rue, tu tentes de te convaincre que cette araignée bleue transportée par ce véhicule n'est faite que de vulgaire et inoffensif papier mâché. Mais lorsqu'elle tourne la tête pour te fixer de ses yeux étincelants et déplace ses longues pattes raides afin de descendre du char...

...tu constates avec regret que tu avais malheureusement vu juste... CES CRÉATURES MONSTRUEUSES SONT BIEN VIVANTES!

Rends-toi au numéro 25.

5

OUI! Tu as raison, il a tourné son regard cruel vers toi. Alors, tu recules très lentement sans quitter des yeux le démon qui ne cesse pas de te fixer non plus. Maintenant, tu en as la conviction... IL VA SE PASSER QUELQUE CHOSE DE TRÈS GRAVE CETTE NUIT!

Toujours au ralenti, tu marches à reculons jusqu'au numéro 2.

6 — NOOOOOOOON! NON! te mets-tu à crier, pris d'une frayeur extrême.

En sueur, tu t'assois promptement dans ton lit. Plusieurs secondes s'écoulent avant que tu réalises que tu étais en train de faire un cauchemar. Tu pousses un long soupir de soulagement. Tout avait l'air si réel pourtant, c'était comme s'il s'agissait d'une prémonition t'avertissant qu'un évènement très grave allait se produire.

Alors que tu te réinstalles confortablement dans ton lit pour te rendormir, de ta fenêtre entrouverte proviennent tout à coup quelques notes basses d'une musique lugubre. Ah voilà! C'est cette musique qui t'a tiré de ton sommeil.

Tu jettes un coup d'œil à ton réveille-matin, il est minuit et des poussières. Mais qui est l'effronté qui ose troubler la tranquillité du quartier à une heure aussi tardive?

D'un geste brusque, tu pousses les couvertures et tu bondis hors de ton lit pour aller voir par la fenêtre ce qui se passe dehors au numéro 15.

7 Poussés par la curiosité, des spectateurs s'approchent pour regarder ces Krolls de plus près. La main sur la crosse de ton krasheur, tu te dis : « Si l'une de ces créatures bouge, ou cligne seulement d'un œil, SORTEZ LE SIROP D'ÉRABLE, car je dégaine, je tire et je transforme ces trois horreurs en crêpes boutonneuses et purulentes. »

Alors que tu veilles à ce que tout se déroule sans le moindre accroc, un grondement assourdissant fait tout à coup vibrer le sol. Croyant à un tremblement de terre, plusieurs personnes se mettent à crier...

... au numéro 24.

8 Le char allégorique qui passe juste devant toi transporte trois, euh... trois « que't'choses ». Enfin, trois monstres terrifiants à l'aspect de zombis au corps putréfié. Tu n'as jamais été aussi dégoûté, sauf peut-être la fois où tu as vu ta grande sœur embrasser son nouveau petit ami sur la bouche... POUAH!

La main sur la crosse de ton krasheur, tu es prêt à dégainer si jamais la situation l'exige.

TOUT À COUP... OH! OH! La situation l'exige, justement.

Va tout de suite au numéro 14.

9 ZIOUUUUCH! TU L'AS RATÉ COMPLÈTEMENT! Avec ses deux crocs empoisonnés, l'araignée t'inflige une morsure au bras. Cette blessure ne te fait pas trop mal, mais le venin qu'elle a injecté dans ton sang, lui... OUI!

Enlève un point à ta ligne de vie pour chacune des lettres que comporte ton prénom. Si tu es encore en vie, retourne au numéro 2.

— MAIS QU'EST-CE QUI SE PASSE? te demandes-tu, affolé. Qui était cette créature?

Avec prudence, tu te diriges maintenant vers la fenêtre, ton krasheur braqué devant toi et prêt à l'emploi.

Lorsque tu sors la tête dehors, le spectacle est des plus préoccupants. Un invraisemblable cortège de chars allégoriques transportant des monstres défile dans la rue juste devant ta maison. Est-ce que ces monstres ne sont que de simples et inoffensifs personnages « animatroniques » comme dans les parcs d'attractions? NON! Tu ne le penses pas. Surtout pas après ce qui vient de se passer dans ta chambre.

Plusieurs personnes sont déjà rassemblées sur le trottoir avec leurs enfants pour regarder passer le défilé. Tu dois tout de suite prévenir ces gens qu'ils courent un grave danger.

Habille-toi vite et descends sur le trottoir les rejoindre au numéro 17.

1 Tu te retrouves dans des ténèbres humides où fourmillent des tas d'insectes parasites. Les deux pieds dans l'eau sale, tu avances à pas mesurés, au son des cris et des hurlements de frayeur provenant de la surface. Plus loin, tes deux mains touchent soudain une porte froide en métal rouillé.

Tu tournes la poignée... ZUT! Elle est verrouillée! Ça va te prendre la clé pour l'ouvrir. MAIS OÙ EST-ELLE! Tu te rappelles tout à coup avoir vu une vieille clé quelque part sur ton chemin. Si seulement tu pouvais retrouver l'endroit exact...

Va au numéro 42 pour essayer de mettre la main sur cette clé.

12 ZUT! La créature t'a vu... Lentement, elle ouvre complètement la fenêtre et entre dans ta chambre. Du coin de l'œil, tu aperçois ton krasheur sur ta commode, à portée de main. Rapide, tu exécutes une roulade sur le plancher et tu le saisis avec agilité. Ensuite, tu te retournes pour pointer ton arme. Mais avant que tu aies le temps d'appuyer sur la détente, un éclair survient.

SVOUUUUCHHH!

Aveuglé, tu fermes les yeux une seconde et tu les rouvres. Dans ta chambre, il n'y a personne d'autre que toi; la créature a disparu, emportée par un étrange faisceau de lumière vive venu de nulle part.

Le visage grimaçant d'étonnement, tu te relèves et tu te rends au numéro 10.

13 Dans la colonne de lumière qui descend du grand vaisseau, se matérialise sur le char allégorique une silhouette qui t'est trop familière... C'EST LA CRÉATURE QUI EST VENUE T'EFFRAYER DANS TA CHAMBRE! Alors voilà! C'est confirmé! Lorsque tu auras deux minutes, appelle toutes les chaînes de télé pour leur dire que la vie existe sur les autres planètes... CAR TU AS UN VRAI ALIEN DEVANT TOI!

Sur le char, l'extraterrestre se met soudain à faire des signes bizarres que tu ne parviens pas à décoder. Cependant, pour les monstres qui se tenaient immobiles sur les autres chars allégoriques, c'est de toute évidence le signal qu'ils attendaient tous, et qui signifie que... LE REPAS EST SERVI!

Tout près de toi, une porte d'entrée qui donne vers les égouts de la ville est ta seule chance de quitter les lieux. Est-elle verrouillée?

Pour le savoir… TOURNE LES PAGES DU DESTIN! Mets un signet à cette page, ferme ton livre et ouvre-le au hasard.

Si tu es tombé sur un trou de serrure blanc, la porte est déverrouillée! Entre dans les égouts par le numéro 11.

Si tu es tombé sur un trou de serrure noir, la porte est verrouillée. Enfonce-la, enlève deux points à ta ligne de vie parce que tu as très mal à l'épaule et entre tout de même dans les égouts par le numéro 11.

LES PAGES DU DESTIN

Sur leur char, les trois « que't'choses » se mettent tout à coup à se mouvoir. Tu fais un bond en arrière et tu dégaines ton krasheur. Mais tu constates rapidement que ces trois créatures ne sont pas de simples zombis hyper-lents... NON! Ces « que't'choses » sont très rapides et agiles. En moins de temps qu'il n'en faut pour dire le mot « pétrin », tu te retrouves justement... DANS LE PÉTRIN!

Va au numéro 30.

LES PAGES DU DESTIN

Mais juste comme tu t'apprêtes à jeter un coup d'œil dehors, un terrifiant visage apparaît à la fenêtre...

Tu te laisses choir sur le plancher et tu roules te cacher derrière ton lit en espérant que cette repoussante créature ne t'a pas aperçu. Pour le savoir...

TOURNE LES PAGES DU DESTIN! Mets un signet à cette page, ferme ton livre et ouvre-le au hasard.

Si tu tombes sur un œil ouvert, cette créature t'a vu. Va au numéro 12.

Si tu t'es arrêté sur un œil fermé, elle ne t'a pas vu. OUF! Rends-toi au numéro 21.

Sur tes gardes, tu observes avec crainte l'affreux démon debout sur ce char allégorique. Il se tient aussi immobile qu'une statue de marbre.

Rends-toi au numéro 48.

LES PAGES DU DESTIN

17 Sur le trottoir, tu es tout étonné de constater que la foule est déjà très nombreuse. Le tumulte créé par la cohue bruyante et la musique lugubre diffusée par des haut-parleurs t'empêche de prévenir les gens qu'un grave danger pèse sur eux. Voyant que tu es incapable de te faire entendre, tu décides de te positionner à un endroit précis sur le trottoir afin de surveiller de près ces monstres à l'aspect sinistre lorsqu'ils passeront sur leurs chars allégoriques.

Rends-toi au numéro 2.

18 Le visage crispé dans une affreuse grimace, tu attends de voir ce que va faire l'homme-serpent. Sur la plateforme, tu ne détectes aucun mouvement de sa part. OUF! Cependant, SOUS la remorque, sa longue queue écailleuse se tortille et tente de se frayer un chemin vers toi. Est-ce que cet homme-serpent va parvenir à t'attraper? Pour le savoir…

TOURNE LES PAGES DU DESTIN!

Si tu réussis à t'enfuir, cours jusqu'au numéro 32.

Si toutefois la longue queue de l'homme-serpent s'enroule à ta jambe et te saisit, va au numéro 23.

19 Sur tes gardes, tu observes avec angoisse ce char allégorique sur lequel trois créatures absolument hideuses se tiennent immobiles. On dirait de dangereux Krolls sortis tout droit du film *Le dieu des bagues*...

Prenant l'air fier et brave de Frodon la bibitte, le personnage principal du film, tu te rends au numéro 7.

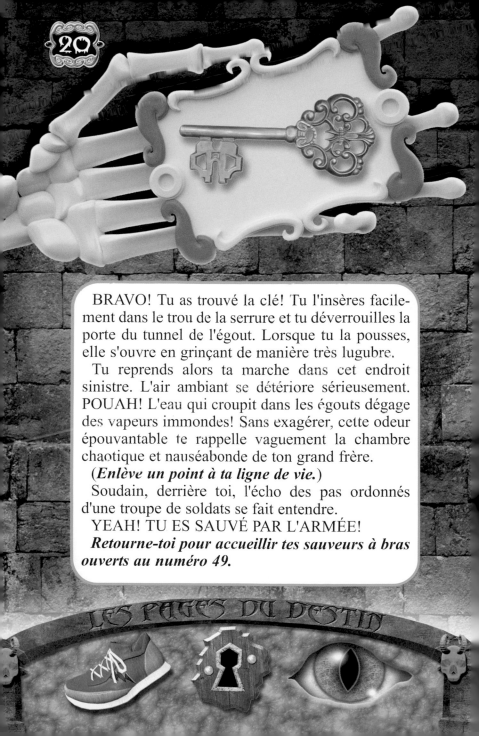

BRAVO! Tu as trouvé la clé! Tu l'insères facilement dans le trou de la serrure et tu déverrouilles la
porte du tunnel de l'égout. Lorsque tu la pousses,
elle s'ouvre en grinçant de manière très lugubre.

Tu reprends alors ta marche dans cet endroit
sinistre. L'air ambiant se détériore sérieusement.
POUAH! L'eau qui croupit dans les égouts dégage
des vapeurs immondes! Sans exagérer, cette odeur
épouvantable te rappelle vaguement la chambre
chaotique et nauséabonde de ton grand frère.

(*Enlève un point à ta ligne de vie.*)

Soudain, derrière toi, l'écho des pas ordonnés
d'une troupe de soldats se fait entendre.

YEAH! TU ES SAUVÉ PAR L'ARMÉE!

*Retourne-toi pour accueillir tes sauveurs à bras
ouverts au numéro 49.*

LES PAGES DU DESTIN

Caché derrière ton lit, tu jettes des regards affolés tout autour de toi.

— Mais où est donc mon krasheur? te demandes-tu en état de panique.

ZUT! Il est sur ta commode, trop loin pour que tu puisses le prendre sans te faire remarquer par cette créature qui est en train... D'ENTRER CHEZ TOI!

Espérant qu'il ne s'agisse que d'un autre cauchemar, tu fermes les yeux et tu secoues la tête. Non! Cette fois-ci, c'est bien vrai! Tu as réellement affaire à un effroyable monstre qui marche dans ta chambre.

— Il n'est pas question que je me fasse avoir par cette horreur, te dis-tu.

Au mépris du danger, tu fronces les sourcils et tu bondis sur tes jambes, les deux poings dressés devant toi, prêt à te battre.

Tout à coup, un éclair survient.

Aveuglé, tu fermes les yeux une seconde et tu les rouvres. Dans ta chambre, il n'y a personne d'autre que toi. Emportée par un étrange faisceau de lumière venu de nulle part, la créature a disparu.

Encore sous le choc, tu ramasses ton krasheur et tu te rends au numéro 10.

22 Alors que tu poursuis ta course effrénée au beau milieu de la rue, il te vient soudain une idée. Tu ne peux pas te retourner pour tirer sur le camion qui te talonne, mais tu peux peut-être tenter de faire tomber devant lui le grand panneau lumineux du restaurant Mc Burger.

Sans t'arrêter de courir, tu pointes ton arme dans la direction du poteau qui soutient le panneau. Vas-tu réussir à atteindre le poteau avec le rayon de ton krasheur? Ce sera difficile, car tu n'as encore JAMAIS fait feu avec ton arme... EN COURANT!

Alors, pour savoir si tu vas atteindre le poteau, mets un signet à cette page, ferme ton livre... ET TES YEUX AUSSI! Ensuite, ouvre ton livre d'un seul coup en visant bien le centre.

Si tu as raté ton tir, va au numéro 34.

Si tu as réussi à atteindre le monstre avec le rayon de ton krasheur, tu as aussi atteint le poteau. YEAH! Rends-toi alors au numéro 28.

23 Rapide et puissante, la queue de l'homme-serpent s'enroule autour de ta jambe et te tire sous la remorque. Tu tentes de t'agripper à l'essieu, mais rien à faire. Très vite, tu te retrouves à côté de lui sur la plateforme du char allégorique. Autour de vous, les gens se rassemblent pour contempler le spectacle. Ces malheureux n'ont aucune idée de ce qui se passe. Ils ne savent pas que tout est vrai, que ce n'est pas du théâtre. Inconscients, ils sourient en te regardant... TE FAIRE MORDRE PAR L'HOMME-SERPENT!

CROOOUCH!

Enlève un point à ta ligne de vie et rends-toi au numéro 41.

24 Dans le ciel, entre les nuages sombres, un gigantesque vaisseau illuminé comme un arbre de Noël avance lentement et s'installe juste au-dessus du défilé. Lorsque le vaisseau s'arrête, une grande colonne de lumière vive en émane et descend jusqu'au char allégorique situé juste devant toi. Encore plus affolés, les gens se mettent à courir dans toutes les directions... ET UNE PANIQUE GÉNÉRALE S'INSTALLE! Tu constates que ça devient de plus en plus dangereux dans le secteur.

Craignant pour ta vie toi aussi, tu vas te mettre à l'écart au numéro 13.

Prêt à agir, tu pointes ton krasheur en direction de l'araignée. Vas-tu réussir à la toucher avec le rayon de ton arme?

Pour le savoir, mets un signet à cette page, ferme ton livre et essaie de l'ouvrir d'un seul coup en visant bien le centre du livre.

Si tu as raté ton tir, va au numéro 9.

Si tu as réussi à atteindre le monstre avec le rayon de ton krasheur, tu as aussi atteint l'araignée. Rends-toi alors au numéro 27.

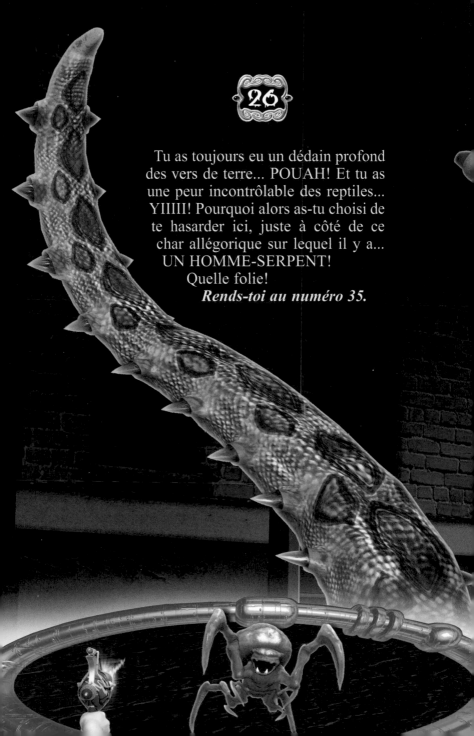

26

Tu as toujours eu un dédain profond des vers de terre... POUAH! Et tu as une peur incontrôlable des reptiles... YIIIII! Pourquoi alors as-tu choisi de te hasarder ici, juste à côté de ce char allégorique sur lequel il y a... UN HOMME-SERPENT!

Quelle folie!

Rends-toi au numéro 35.

LES PAGES DU DESTIN

27 **KRAAACHHH!** Tu as réussi à pulvériser l'araignée d'un seul tir de ton krasheur. Sur le trottoir, le terrifiant arachnide n'est plus qu'un amoncellement fumant de chair. Soudain, alors que tu ranges ton krasheur dans son étui à ton ceinturon, la dépouille de l'araignée se met à remuer. Tu dégaines à nouveau et tu braques ton krasheur vers la carcasse. Le doigt sur la détente, tu attends.

Va au numéro 29.

28 **KRAAACHHH!** BRAVO! Tu as atteint le poteau. Dans une déflagration à réveiller les morts, le panneau lumineux du restaurant Mc Burger s'écroule au beau milieu de la rue. N'ayant pas le temps de réagir, les trois « que't'choses » à bord du camion entrent en collision avec l'énorme structure. Une explosion accompagnée d'un feu d'artifice multicolore s'ensuit. Fier de ce que tu viens d'accomplir, tu regardes en souriant la carcasse fumante du camion. Soudain, trois petits objets volants surgissent des débris. Ils viennent zigzaguer sous ton nez comme pour te narguer, puis ils disparaissent entre les nuages.

Bouche bée, tu restes là, immobile, jusqu'à ce que tu te rappelles que tu as des gens à protéger, au numéro 2.

29 De la carcasse gluante de l'araignée émerge soudain un objet étrange qui prend son envol et disparaît très haut entre les nuages. Frappé de stupeur, tu as les yeux qui deviennent ronds comme des pièces de deux dollars et la mâchoire inférieure qui tombe d'étonnement sur ton torse.

— Mais qu'est-ce que c'était que ça? Un TVNI? Un « truc volant non identifié »? cherches-tu à comprendre.

Abasourdi, tu retournes au numéro 2.

Rapides, les trois
« que't'choses » se
retrouvent au volant
du camion qui tirait
leur char allégorique.
Leur intention est
claire : ils ont
comme projet de...
T'ÉCRABOUILLER!
*Tu décampes vite
au numéro 3.*

ZÉRO 12

LES PAGES DU DESTIN

31 AH NON! D'un geste rapide, le centipède géant te saisit avec son long corps répugnant et te lance très fort sur la paroi en béton de l'égout. (***Enlève un point à ta ligne de vie.***) C'est tout ce dont tu te souviendras lorsque tu reprendras connaissance...

... au numéro 44.

32 Parce qu'au dernier moment tu as entendu un bruit et que tu as vu la queue de l'homme-serpent arriver vers toi, tu parviens à t'éloigner juste à temps... FIOUU!

Sur son char allégorique, totalement frustré de ne pas avoir réussi à t'attraper, l'homme-serpent se martèle le torse à grands coups de poing tel un gorille. Lorsque, comme un lion, il se met ensuite à rugir, tu aperçois soudain un truc métallique qui brille dans sa bouche grande ouverte. On dirait une sorte de véhicule dans lequel est assise... UNE MINICRÉATURE! L'homme-serpent referme la bouche...

Songeur, tu retournes au numéro 2.

33 ZUT! Les trois « que't'choses » foncent vers toi avec leur camion. Juste comme tu allais fermer les yeux pour attendre la fin de ton aventure, un couvercle de bouche d'égout pivote et tu tombes lourdement dans un tunnel sombre et puant. OUF! Tu n'as pas été écrabouillé, mais DOUBLE OUF, qu'est-ce que ça sent mauvais ici! (***Enlève deux points à ta ligne de vie.***) Mais quelle est cette odeur épouvantable? Ton nouveau parfum? CACA CHANEL!

Les deux pieds dans tu sais quoi, tu rebrousses chemin vers le numéro 2.

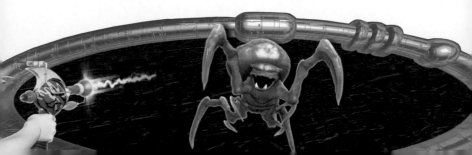

34 Voyant que tu as raté ton tir, tu décides de t'étendre au beau milieu de la rue. OUI! Ça marche! Le camion passe juste au-dessus de toi comme un violent coup de vent sans même te toucher. Croyant s'être débarrassés de toi en t'écrabouillant, les trois « que't'choses » empruntent une autre rue plus loin afin de reprendre leur place dans le défilé.

Tu te relèves en poussant un soupir de soulagement, mais lorsque tu passes tes mains sur ton torse et sur tes jambes pour t'épousseter, tu constates que tu es en sous-vêtements... AU BEAU MILIEU DE LA RUE! Quelle honte!

(*Enlève un point à ta ligne de vie.*)

ZUT! Lorsque tu étais couché à plat ventre, le déplacement d'air créé par le camion qui passait au-dessus de toi a arraché presque TOUS tes vêtements.

Mais tu as de la chance, car tu te trouves justement à côté d'un magasin... DE DÉGUISEMENTS D'HALLOWEEN!

EH OUI! C'est costumé en ridicule petit cochon rose que tu retournes, gêné, au numéro 2.

35 Tentant de maîtriser ta peur, tu examines l'homme-serpent du coin de l'œil.

— Il a l'air un peu trop réel à mon goût, ce personnage animatronique, te dis-tu en frissonnant de peur.

Ton cœur se met à battre la chamade lorsque tu constates que l'homme-serpent... TOURNE LA TÊTE VERS TOI!

Tu te penches rapidement au numéro 18 afin de te cacher sous la plateforme de la remorque.

36 FIOUUU! Avec ce formidable sprint que tu viens de réaliser, tu aurais pu GAGNER plein de médailles aux Jeux olympiques. Mais ici, dans les égouts, tu as gagné de quoi regarnir ta ligne de vie.

Remets tous les points à ta ligne de vie et approche-toi lentement du numéro 38.

37 ZUT! Tu n'as pas vu que... SON ŒIL A BOUGÉ! Oui, et maintenant son regard furieux est directement braqué sur toi. Tu ravales ta salive et tu tentes de t'éloigner de son char. IMPOSSIBLE! Derrière toi, un mur de feu te stoppe net et te chauffe le dos. AÏE! (*Enlève un point à ta ligne de vie.*)

Tu essaies de t'enfuir par la gauche. AÏE! Un deuxième mur de feu t'arrête. (*Enlève un point à ta ligne de vie.*)

Voyant que tu ne peux pas quitter les lieux pour rentrer chez toi...

... tu décides de retourner au numéro 2 afin de t'éloigner de ce char maudit.

38 Sur les parois de pierres du passage par lequel tu es arrivé, tu aperçois à ton grand étonnement... DES SYMBOLES AZTÈQUES!

— QUOI! Je ne peux pas avoir marché si longtemps, voyons! t'étonnes-tu. Je ne peux pas être arrivé au Mexique par un passage caché dans la voie des égouts... IMPOSSIBLE!

Deux tunnels se trouvent devant toi : lequel dois-tu emprunter pour éviter de te perdre des heures dans le labyrinthe obscur des égouts?

Peut-être que ces symboles aztèques au numéro 40 t'indiqueront la bonne voie.

Tu fronces les sourcils, car tu as tout à coup la curieuse impression que le démon a bougé. Tu n'en es cependant pas certain.

Si tu crois qu'il a bougé, va au numéro 5.

Si tu penses plutôt que le démon est demeuré complètement immobile pendant que tu observais la foule, rends-toi au numéro 37.

LES PAGES DU DESTIN

OUI! Quelle chance! Ces symboles aztèques te montrent le bon tunnel à prendre pour éviter de te perdre. Peux-tu cependant résoudre leur mystère?

T'indiquent-ils d'aller au numéro 43 ou au numéro 56? Étudie bien les symboles et rends-toi ensuite au numéro de ton choix...

41 Après t'avoir injecté son venin, l'homme-serpent te lance comme un pantin désarticulé dans la foule. (*Enlève un point à ta ligne de vie.*) Heureusement pour toi, comme dans un concert rock, plusieurs personnes te saisissent et te déposent doucement sur le trottoir avant de se mettre à applaudir la performance de l'homme-serpent.

OH! As-tu oublié ce venin qui circule dans tes veines? C'est une chance pour toi que ton carnet de vaccination anti-monstres soit bien rempli : vaccin anti-pustules, contrepoison de mixture toxique de sorcières, vaccin suppression de métamorphose en loup-garou, injection d'anticorps de bactéries aliens, sérum d'immunité « vampiral » et finalement, morsure... D'HOMME-SERPENT!

Mieux vaut prévenir que guérir, n'est-ce pas?

Tu retournes au numéro 2 afin de te déplacer vers un autre char allégorique.

42 Seras-tu capable de trouver la clé pour ouvrir cette porte dans les égouts et poursuivre ta route?

Cette clé figure sur l'une des vingt-cinq premières pages de ce roman Passepeur. CHERCHE-LA! C'est seulement lorsque tu l'auras en main que tu pourras déverrouiller la porte et continuer, car elle se trouve exactement au numéro où tu dois te rendre pour poursuivre ton aventure.

43 Après avoir erré pendant des heures dans les tunnels crasseux des égouts, tu en déduis que tu n'as pas réussi à décoder correctement les symboles aztèques...

Ce symbole-ci signifie « ZUT! » dans le langage aztèque. (*Enlève un point à ta ligne de vie.*)

Parce que tu t'es trompé, attends cinq minutes, puis retourne au numéro 40.

44 Les yeux fermés, tu sens soudain de curieux et très désagréables chatouillements partout sur ton corps. Tu n'oses même pas t'imaginer où tu te trouves. Sans doute dans le nid même du tyrannopendra, entouré de milliers de ses petits. En si fâcheuse position, tu te demandes ce que tu vas faire.

Tu peux ouvrir les yeux et affronter la situation au numéro 51.

Ou tu peux aller au numéro 55 pour subir ce qui semble être ton sort inéluctable.

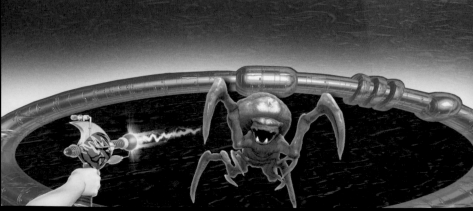

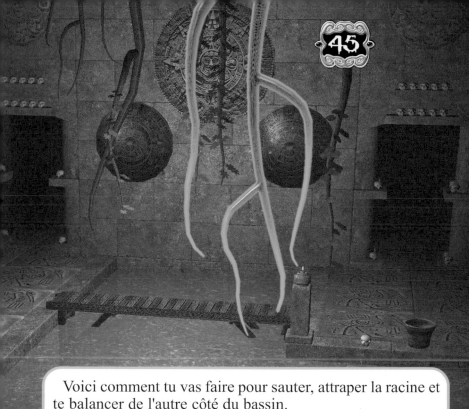

Voici comment tu vas faire pour sauter, attraper la racine et te balancer de l'autre côté du bassin.

Dépose ton livre bien ouvert devant toi, ferme les yeux et pose ton index sur cette page. Ensuite, rouvre tes yeux!

Si le bout de ton doigt a atterri sur la racine verte, BRAVO! Tu as attrapé cette racine et tu es parvenu à te balancer jusqu'à la sortie, au numéro 57.

Si le bout de ton index ne touche pas cette racine, tu as malheureusement raté ton coup, et tu tombes dans l'eau au numéro 59.

46 Lorsque tu poses les pieds sur la première dalle, tu te mets à glisser dangereusement comme si tu te tenais debout sur un parquet... TROP BIEN CIRÉ! C'est dans le bassin au centre de la salle que tu termines ton trajet.

SPLOOOUCH!

AÏE! Mais qu'est-ce qui te mordille les jambes? AÏE!
Un banc de piranhas??? NON! Un banc de...

PIRE-RANHAS!

Ces petits poissons carnassiers sont bien PIRES que des piranhas, car ils sont comme des grosses sardines munies d'un gros dentier!

Si tu as un poisson rouge chez toi, sors de l'eau en vitesse et rends-toi au numéro 63.

Si tu n'as pas de poisson rouge, enlève deux points à ta ligne de vie et marche jusqu'à l'autre salle au numéro 63.

47 Lorsque tu poses les deux pieds sur la première dalle, le grondement sourd d'un mécanisme infernal se fait entendre. En te plaçant sur cette première dalle, tu as actionné quelque chose, mais tu ne sais pas trop quoi. Immobile, tu attends. Soudain, un frottement de pierres survient et toutes les dalles se mettent à changer de place dans la salle. De la poussière sale s'élève du plancher et te fait tousser. Tu fermes les yeux. Lorsque le silence revient, tu les rouvres. Juste devant toi, il y a la sortie. TU AS RÉUSSI!

Engage-toi dans ce passage qui t'amène dans une troisième salle au numéro 63.

48

Ce visage effrayant! Ce regard à glacer le sang! WOW! Ce démon est un personnage des plus cauche-mardesques... VRAIMENT!

Tu regardes ensuite la foule qui t'entoure. Inconscients du danger, les spectateurs s'en donnent à cœur joie.

Tu tournes à nouveau la tête en direction du char afin de garder un œil sur ce démon, au numéro 39.

LES PAGES DU DESTIN

49

Tes cheveux se hérissent sur ta tête lorsque tu réalises qu'il s'agit d'un centipède géant... UN TYRANNOPENDRA! Lorsque tu penses qu'un minuscule cent-pattes peut paralyser une personne avec son venin, tu t'imagines facilement ce que ce CENTIPÈDE GÉANT peut te faire...

Va-t-il parvenir à t'attraper et à te mordre avec ses crochets venimeux? Pour le savoir…

TOURNE LES PAGES DU DESTIN!

Si le tyrannopendra t'attrape, va au numéro 31.

Si tu réussis à t'enfuir, cours jusqu'au numéro 36.

50 — UNE SEULE GOUTTE! cries-tu, certain de ta réponse. Dans un roulement sourd, le mur au fond de la salle glisse lentement et s'ouvre sur une autre galerie. OUI! Une seule goutte d'eau suffisait pour que le vase ne soit plus vide... HA!

Dans ce long passage obscur, des grincements à peine audibles brisent soudain le silence mortuaire qui régnait. TU AS TIRÉ DES CHAUVES-SOURIS DE LEUR SOMMEIL! Perturbées, plusieurs d'entre elles passent juste au-dessus de toi et t'égratignent la tête avec leurs ailes noires et raides.

(Enlève un point à ta ligne de vie.)

Le corridor débouche enfin sur une dernière salle, au numéro 66.

51

Juste avant que tu ouvres les yeux, tu entends un miaulement désespéré. Tu regardes tout de suite ce qui se passe. Des dizaines de chatons, sans doute égarés dans les égouts, se trémoussent et se collent affectueusement à toi en ronronnant.

— AAAAH! Comme c'est réconfortant! te dis-tu.

(Remets tous les points qui manquent à ta ligne de vie.)

— Mais où est le gros cent-pattes? te demandes-tu ensuite, curieux.

En voyant les chatons se pourlécher les babines, tu comprends soudainement qu'ILS L'ONT DÉVORÉ! OUPS! Pas si inoffensifs que ça, ces petits minous, n'est-ce pas?

En te promettant de revenir les chercher à la fin de cette aventure, tu pars en direction du numéro 38.

52

AAAAAAH! DES SANGSUES GÉANTES!

Ces vers aquatiques à ventouses vont te vider de ton sang. AAAH! VITE! SORS DE L'EAU!

(Enlève un point à ta ligne de vie.)

Tu te mets à nager frénétiquement jusqu'au bord du bassin pour sortir de l'eau. Tu empruntes ensuite un long passage qui te mène dans une deuxième salle.

— Autre salle, autre énigme! en déduis-tu.

OUI! Rends-toi au numéro 60.

LES PAGES DU DESTIN

53 TU AS RÉSOLU L'ÉNIGME DU FEU! OUI! Car c'est l'allumette que tu dois allumer en premier, c'est logique! Après l'avoir grattée sur la pierre de l'autel, tu l'approches de la chandelle. Tu prends ensuite la chandelle pour allumer la lampe à l'huile et avec la lampe, tu embrases le flambeau. De la poussière se met soudain à tomber du plafond et l'échelle glisse jusqu'à tes pieds.

Tu saisis tout de suite l'un des barreaux et tu te hisses rapidement au numéro 74.

54 Lorsque tu t'approches du flambeau, deux grands yeux expressifs s'ouvrent sur le mur juste à côté. Curieux, tu les fixes, et en moins de temps qu'il n'en faut pour dire « hypnotiser »... TU ES HYPNOTISÉ!

Sans savoir pourquoi, tu mets ton petit doigt dans l'une de tes narines... ET ENSUITE DANS TA BOUCHE!

Ce geste totalement dégoûtant te sort immédiatement de ta torpeur.

Avec un point de moins à ta ligne de vie, tu retournes au numéro 66.

55 Étant temporairement en pénurie de courage, tu décides de demeurer assis au beau milieu du tas d'insectes, en espérant que ton PAPA ou ta MAMAN vienne te secourir. Le temps passe et rien ne se produit. Tout devient même... SILENCIEUX! Tu te risques alors à ouvrir un œil. Autour de toi, il n'y a plus un seul insecte.

Tu te remets debout et te rends au numéro 38. AÏE! Mais qu'est-ce qui rampe hors de ta poche... OH NON! UN BÉBÉ CENTIPÈDE! (Enlève un point à ta ligne de vie.)

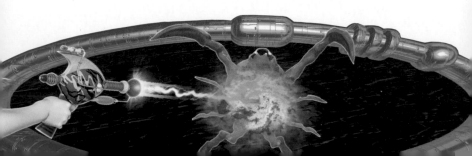

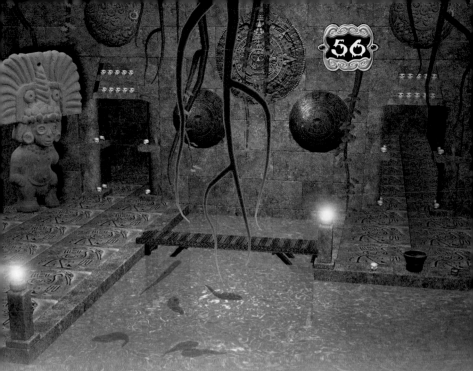

NON! Ce n'est pas possible! UN TOMBEAU AZTÈQUE! OUI! Comme tu en as vu dans les jeux vidéo de Lara Kraft, ou dans les films d'Indiana Jaune.

Comment vas-tu te rendre sur l'autre plateforme où se trouvent les deux sorties? En nageant dans cette eau fraîche et claire? OH NON! Car tu te doutes que, comme dans les jeux vidéo, cette eau abrite un dangereux requin ou des piranhas affamés.

Tu choisis plutôt d'imiter Tarzan et de te balancer de l'autre côté du bassin d'eau à l'aide de cette racine qui descend de la voûte de la salle et qui pend juste devant toi.

C'est au numéro 45 que tu vas tenter cette cascade dangereuse.

57 Agile comme l'homme singe, tu te balances en hurlant et atteins facilement l'autre côté du bassin... BIEN JOUÉ!

En empruntant l'une des deux sorties, tu te demandes bien ce qui t'attend à l'autre bout de ce couloir sombre. Te conduira-t-il à la surface? T'amènera-t-il plutôt dans les abîmes de la Terre? NON! Il te mène dans une deuxième salle.

— Autre salle, autre énigme! te dis-tu.

Entre dans cette salle étrange au numéro 60.

58 C'est au moment où tu prends la chandelle que tu réalises que... C'EST L'ALLUMETTE QUE TU DOIS ALLUMER EN PREMIER! À la base de la chandelle est relié un fil sur lequel tu as malheureusement tiré. Sous tes pieds, le plancher s'ouvre et tu tombes...

Tu retournes au numéro 66 avec deux points de moins à ta ligne de vie.

59 ZUT! RATÉ! **SPLOUCH!** Dans l'eau profonde jusqu'au cou, tu profites de la fraîcheur de ce liquide composé d'un atome d'oxygène et de deux atomes d'hydrogène et qui possède un point d'ébullition de cent degrés Celsius et un point de congélation de zéro degré Celsius...

Tu te demandes pourquoi autant de détails? Parce qu'il est important d'apprendre des choses dans les livres... MÊME DANS LES LIVRES DE MONSTRES!

Parlant de monstres... MAIS QU'EST-CE QUI TE CHATOUILLE PARTOUT SUR LE CORPS?

Va voir au numéro 52.

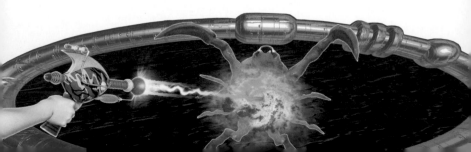

Laquelle des deux séries de dalles te fera traverser cette salle? Suis le sens des flèches attentivement et tu le découvriras peut-être.

Rends-toi au numéro inscrit au début de la série de dalles qui te semble mener à la sortie.

61 Le génie disparaît dans sa lampe en éclatant d'un rire bruyant et diabolique. C'EST TRÈS LOUCHE!

Maintenant, quel chiffre as-tu choisi? Rends-toi à ce numéro, car c'est malheureusement là que se poursuit ton aventure...

62 Sous le grand navire de l'espace, une trappe s'ouvre et un puissant faisceau jaillit à nouveau de l'ouverture. Telle une lampe de poche, le faisceau se met à balayer le sol sous lui. Dans la grande forêt, le terrible rugissement d'une bête sauvage retentit soudain. Ton sang se glace!

— Mais qu'est-ce qui se passe? cherches-tu à comprendre. Que font ces ignobles extraterrestres aux animaux?

Tout à coup, comme prisonnier du faisceau, un jaguar s'élève dans les airs. Aspirée, la pauvre bête disparaît ensuite à l'intérieur du vaisseau.

— Mais que vont-ils faire à ce jaguar? te demandes-tu encore.

Rien ne se produit pendant quelques minutes, puis soudain, le faisceau apparaît à nouveau sous le vaisseau. Mais cette fois-ci, c'est pour déposer au sol une créature monstrueusc, tachetée comme l'était le jaguar. Pas besoin de calculatrice pour comprendre que deux et deux font quatre! Ces extraterrestres transforment les animaux en monstres terrifiants en insérant dans leur corps une petite soucoupe volante pilotée par l'un des leurs. Ils les changent en cyborgs qu'ils peuvent contrôler à leur guise. Tout ça sans doute dans le but ultime de conquérir la Terre...

Attends que le vaisseau quitte le secteur et rends-toi ensuite au numéro 69.

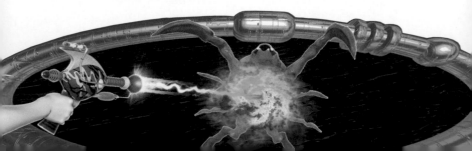

Dans cette salle à l'allure inquiétante, tu remarques tout de suite que les murs ont vraiment... DES OREILLES!

Selon les écritures aztèques qui ornent la salle, tu dois répondre correctement à une question pour que les murs s'écartent devant toi et te laissent continuer ta route.

Voici la question : combien de gouttes d'eau le grand vase vide au milieu de la salle doit-il contenir pour ne plus être vide?

CENT MILLE GOUTTES? Dis-le très fort pour te faire entendre et rends-toi au numéro 65.

UNE SEULE GOUTTE? Alors crie-le pour que les oreilles entendent, puis va au numéro 50.

64 Lorsque tu t'apprêtes à prendre la lampe rouge, de la fumée rouge s'en échappe et un génie rouge, rouge de colère, apparaît devant toi les bras croisés.

— QUI OSE ME RÉVEILLER APRÈS SEULEMENT MILLE ET UNE NUITS DE SOMMEIL? QUI EST L'IMPUDENT?

Tu baisses la tête, l'air coupable. Le génie se penche vers toi.

— Je vais tout de même t'accorder une faveur! t'annonce-t-il. TU VAS CHOISIR UN CHIFFRE ENTRE UN ET CINQUANTE.

RÉPONDS AU GÉNIE! Choisis un chiffre! Lorsque tu l'auras en tête, rends-toi au numéro 61.

65 — CENT MILLE GOUTTES? cries-tu pour te faire entendre des grandes oreilles qui ornent les murs.

Dans un premier temps, rien ne se produit. Puis, te parvient le bruit préoccupant d'une rivière souterraine qui se déplace rapidement. Devant toi, à la place du mur qui devait s'ouvrir pour te permettre de continuer, les deux grands calendriers ronds pivotent afin de laisser entrer des torrents d'eau dans la salle.

(*Enlève un point à ta ligne de vie.*)

Très vite, l'eau monte et tu te retrouves complètement submergé. Le nez collé au plafond, tu parviens à trouver de l'air coincé dans une fissure. OUF!

Tu attends dans cette position que l'eau s'évacue lentement de la salle pour retourner au numéro 63.

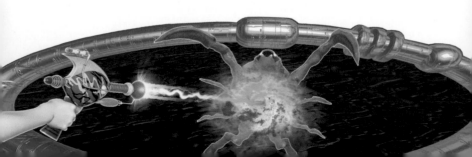

À travers l'ouverture pratiquée au plafond de cette salle, tu aperçois la lune. Tu es presque sorti d'affaire. Si tu parviens à résoudre la dernière énigme des prêtres aztèques, une échelle mécanique descendra du puits de lumière jusqu'à toi et tu pourras enfin quitter ces lieux maudits.

L'énigme est la suivante : avec UNE SEULE ALLUMETTE, tu dois allumer la chandelle, la lampe à l'huile et le flambeau sur le mur. Lequel de ces objets dois-tu allumer en premier?

La chandelle? Va au numéro 58.
La lampe à l'huile? Va au numéro 64.
Le flambeau? Va au numéro 54.
Aucune de ces réponses? Va dans ce cas au numéro 53.

67 La créature des profondeurs te saisit et t'emporte. (*Enlève un point à ta ligne de vie.*) Traîné par une jambe, tu parviens à t'agripper à un fil électrique que tu réussis à arracher du mur. Dans tes mains, le fil tressaille et lance de petits éclairs électriques. Tu colles le bout dénudé du fil sur le corps écailleux de ton agresseur. Électrocutée, la créature se raidit d'abord, et s'enfuit ensuite en abandonnant sans regret sa pitance : toi. Le cœur battant au point de sortir de ta poitrine, tu te relèves et fais une étonnante découverte en regardant autour de toi...

— NON! Ce n'est pas possible! t'exclames-tu, ahuri.

Tu secoues la tête. NON! Tu ne rêves pas.

Rends-toi au numéro 70.

68 AAAAAAAH! Tu chutes dans un trou sombre. Sur quoi vas-tu tomber? Sur des pics mortels? Dans une rivière de glu? Impossible de le savoir, car il fait trop noir pour que tu puisses distinguer quelque chose. Tu fermes les yeux et tu attends le choc. Les secondes passent, les minutes, puis les heures sans jamais que tu heurtes le fond de ce trou. Ta chute est si monotone que tu décides de piquer un petit roupillon.

Tu te réveilles beaucoup plus tard au numéro 75, debout, intact, en un seul morceau. YES! Tu as même retrouvé ta forme humaine. Tiens, il manque trois points à ta ligne de vie! AÏE!

69 À peine as-tu marché un kilomètre dans un sentier de la forêt que tu aperçois Sombreville. Étrange! Tu es probablement la seule personne qui sait qu'il y a une pyramide aztèque à seulement quelques kilomètres de la ville.

Dans une clairière juste devant toi, au numéro 76, tu distingues les ruines de l'ancienne usine... VORTEX!

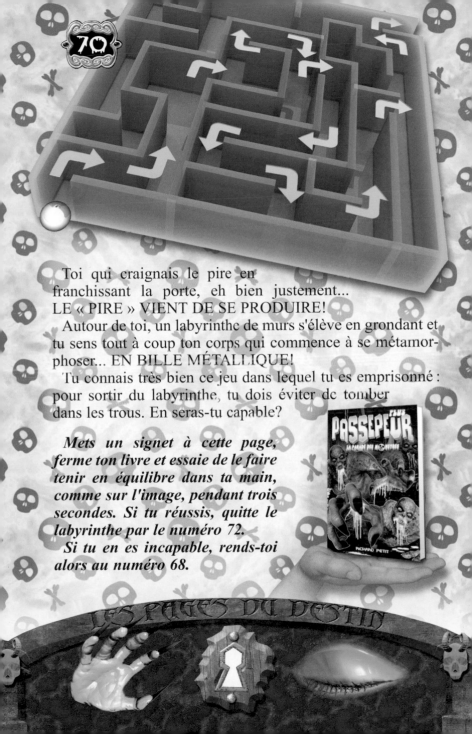

Toi qui craignais le pire en franchissant la porte, eh bien justement... LE « PIRE » VIENT DE SE PRODUIRE!

Autour de toi, un labyrinthe de murs s'élève en grondant et tu sens tout à coup ton corps qui commence à se métamorphoser... EN BILLE MÉTALLIQUE!

Tu connais très bien ce jeu dans lequel tu es emprisonné : pour sortir du labyrinthe, tu dois éviter de tomber dans les trous. En seras-tu capable?

Mets un signet à cette page, ferme ton livre et essaie de le faire tenir en équilibre dans ta main, comme sur l'image, pendant trois secondes. Si tu réussis, quitte le labyrinthe par le numéro 72.

Si tu en es incapable, rends-toi alors au numéro 68.

71 La porte qui se trouve devant toi ressemble à un bain vertical dans lequel tournoie de l'eau. Mais c'est en réalité une porte temporelle qui peut te transporter n'importe où : ailleurs, dans le passé, dans le futur... OU PIRE ENCORE!

Tu te jettes à l'intérieur, au numéro 80, sans savoir vraiment où elle va te conduire.

72 Avec agilité, tu réussis à manœuvrer dans le labyrinthe sans tomber dans les trous, et tu atteins la sortie. Ayant maintenant retrouvé ta forme humaine, tu éprouves cependant une violente nausée. Après avoir tourné sur toi-même tant de fois, c'est normal que tu aies envie de vomir...

Tu te rends au numéro 75, non sans avoir laissé derrière toi un « souvenir » mou et chaud sur le sol.

73 C'est parce que tu es un rapide sprinter que tu es parvenu à semer cette horrible « sardine sur pattes » qui cherchait à te transformer non pas en bâtonnets de poisson, mais plutôt en bâtonnets... D'HOMME!

Avec précaution, tu avances maintenant dans une espèce de long tunnel gluant. On dirait presque que tu marches dans l'œsophage d'un dinosaure en direction de son estomac. POUAH!

Mais au bout du tunnel, il y a quelque chose de beaucoup plus intéressant qu'un gros organe de digestion...

— NON! Ce n'est pas possible!

Tu fermes les yeux et tu secoues la tête. NON! Tu ne rêves pas.

Va au numéro 70.

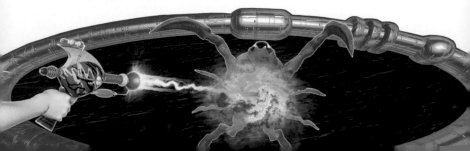

74 Parvenu au sommet de la pyramide, tu te réjouis en prenant de grandes bouffées d'air frais. Cependant, ton allégresse est de courte durée, car dans le ciel, un gigantesque anneau lumineux temporel se matérialise lentement. Comme paralysé, tu observes l'anneau d'où émerge encore une fois le grand vaisseau spatial constellé de lumières.

Va vite te cacher dans la pénombre de l'entrée de la pyramide...

... et espionne ce vaisseau au numéro 62.

75 Tu arrives dans une pièce silencieuse où il y a trois objets sur le plancher. Devant la sortie de cette pièce, un château de cartes a été érigé adroitement. Cet endroit ressemble au local du service de garde de ton école. Tu te diriges vers la sortie. Lorsque tu tentes d'abattre le château de cartes pour passer, tu constates avec étonnement que tu en es incapable, car les cartes sont solidement collées les unes aux autres. Tu essaies à nouveau avec ton pied. AÏE! Rien à faire, tu t'es même fait mal au petit orteil. (***Enlève un point à ta ligne de vie.***)

Tu te grattes la tête pour réfléchir un instant et tu comprends finalement que pour dégager la sortie, tu dois abattre le château avec ces trois objets laissés à ta disposition...

... au numéro 89.

LES PAGES DU DESTIN

Autrefois, cette entreprise fabriquait des portes qui téléportaient les gens d'un endroit à un autre ou d'une époque à une autre. Elle produisait aussi les « warp zones » des jeux vidéo, ces lieux qui permettaient aux joueurs de se déplacer à travers plusieurs niveaux. Après une série d'accidents bizarres, le gouvernement a fait fermer l'endroit. Deux de ces portes dangereuses demeurent cependant encore actives. Peut-être pourrais-tu trouver derrière l'une d'elles des réponses à ce qui se passe?

Rends-toi au numéro inscrit dans la porte que tu veux franchir.

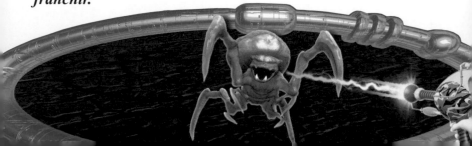

Après t'être hissé dans cette autre pièce, tu constates qu'il y a d'autres objets sur le plancher.

— NON MAIS, CE N'EST PAS BIENTÔT FINI? te mets-tu à crier comme si quelqu'un pouvait t'entendre. JE NE SUIS PLUS UN BÉBÉ, VOUS SAVEZ? J'AI FINI DEPUIS TRÈS LONGTEMPS DE M'AMUSER AVEC DES BÉBELLES SUR LE PLANCHER!

Soudain, au centre de la pièce, une colonne de lumière vive se révèle. Cet ignoble extraterrestre vient encore te narguer. Tu attends qu'il se métamorphose dans la lumière, et ensuite tu fais feu dans sa direction avec ton krasheur.

Mais à regret, tu constates que le faisceau de lumière autour de lui agit comme un impénétrable bouclier.

— HA! HA! HA! s'esclaffe-t-il.

— Mais qu'est-ce que vous voulez? cherches-tu à savoir. Vous approprier notre planète?

— NON! te répond l'extraterrestre. La Terre nous appartient déjà.

— QUOI? Qu'est-ce que vous voulez dire par là?

— Nous provenons du futur, et dans le futur, cette planète est la nôtre. Ce que nous voulons maintenant, c'est posséder toutes les époques de la Terre : son passé, et son présent aussi. HA! HA! HA!

Et le Zoombien disparaît à nouveau...

Maintenant que tu es devenu le défenseur de la Terre du présent, tu ne comptes pas laisser les choses se passer comme ça... OH NON!

C'est en furie que tu te rends au numéro 88.

LES PAGES DU DESTIN

78 Tu examines ce passage vers une autre dimension en te demandant comment cette eau peut tenir à la verticale. Tu te demandes aussi où va te conduire ce passage. La seule façon de le savoir, c'est d'y entrer. Tu ravales bruyamment ta salive et tu exécutes un plongeon tête première dans l'eau...

... jusqu'au numéro 81.

79 OUI! Avec la clé, tu remontes le petit robot, qui avance aussitôt et heurte le premier domino. Le premier domino tombe sur le deuxième, et le deuxième sur le troisième jusqu'au dernier qui, lui, libère la première boule du pendule de Newton. Elle heurte la deuxième boule et, par effet de transfert de mouvement, projette la dernière boule sur le jeu de cartes qui... S'ÉCROULE!

La sortie étant maintenant dégagée, tu peux te rendre au numéro 92.

80

Trempé jusqu'aux os, tu ouvres les yeux de l'autre côté de la porte. Devant toi, se tient une créature des profondeurs... AFFAMÉE! Et pour elle, tu as vraiment l'air en ce moment d'un appétissant ver de terre.

Va-t-elle parvenir à t'attraper? Pour le savoir...
TOURNE LES PAGES DU DESTIN!
Si la créature t'attrape, va au numéro 67.
Si tu réussis à t'enfuir, cours jusqu'au numéro 73.

LES PAGES DU DESTIN

De l'autre côté de la porte, tu arrives face à face avec l'un des trois Krolls du char allégorique. Tu t'arrêtes et tu braques ton krasheur directement sur sa sale tronche.

— QUI ÊTES-VOUS? exiges-tu de savoir. RÉPONDEZ, SI VOUS PARLEZ NOTRE LANGUE!

— Des Zoombiens! te répond-il sans paraître effrayé par ton arme.

— DES ZOOMBIENS? Mais qu'est-ce que vous nous voulez? demandes-tu. Vous voulez vous emparer de notre planète?

— NON! La Terre nous appartient déjà.

— QUOI? Qu'est-ce que vous voulez dire par là?

— Nous venons du futur, et dans le futur, cette planète est la nôtre. Ce que nous voulons maintenant, c'est posséder toutes les époques de la Terre : son passé et son présent aussi. Et vous, les Terriens, vous faites partie de ce présent.

Les yeux brillants de fureur, le Zoombien se penche vers toi.

— NOUS ALLONS TOUS VOUS ANÉANTIR!

Puis il disparaît dans un éclair en riant de manière diabolique avant que tu aies pu appuyer sur la détente de ton arme.

Maintenant que tu es devenu malgré toi le défenseur de la Terre du présent, tu ne comptes pas les laisser faire... OH NON!

C'est rageur que tu te rends au numéro 99.

LES PAGES DU DESTIN

82 Tu vises le grille-pain avec le pistolet laser et tu appuies sur la détente. Du grille-pain est aussitôt éjectée une rôtie qui atteint avec précision... TON ŒIL DROIT!

— OUAÏLLE! Que ça fait mal...

Enlève un point à ta ligne de vie et retourne au numéro 70.

83 Après avoir léché la glace entourant la boule de bowling, tu vois cette dernière rouler sur le levier jusqu'au détonateur qui fait exploser le gros pétard près de toi. Le corps recouvert de poudre noire, la langue gelée jusqu'aux orteils, tu en conclus que tu n'as pas placé les objets dans le bon ordre. NON MAIS, QUELLE PERSPICACITÉ!

Enlève deux points à ta ligne de vie et va au numéro 70.

84 Tu soulèves la première boule du pendule et tu la laisses tomber. Elle heurte la deuxième boule, ce qui a pour effet de projeter la dernière boule sur le premier domino, qui tombe sur le deuxième, et ainsi de suite jusqu'au dernier qui, lui, tombe sur le pied du robot! ZUT! La réaction en chaîne s'est arrêtée avant d'atteindre le château de cartes. DOUBLE ZUT! Tu t'es trompé d'ordre! En plus, tu as oublié la clé qui sert à rcmonter le robot. TRIPLE ZUT!

Enlève un point à ta ligne de vie et retourne au numéro 70.

85 Parce que tu as remporté la partie, tu retrouves rapidement ton apparence humaine, et autour de toi, le décor virtuel du jeu vidéo éclate en millions de pixels pour faire place à la réalité.

Un escalier, un vrai, te ramène à la surface au numéro 104.

86

SUPER GINO
ET L'ÎLE AUX PETITS BONSHOMMES VERTS DES CAVERNES

YA!

A
B

116

CHOISIS TA DESTINÉE! Rends-toi au numéro inscrit sur le jeu que tu as choisi...

LES AVENTURES DE
STEVEN
L'AVENTURIER

A
B

87

LES PAGES DU DESTIN

VAS-Y, STEVEN L'AVENTURIER! *Rends-toi au numéro où tu veux te diriger dans le jeu.*

SURVEILLE BIEN TA BATTERIE!
À chaque fois qu'il t'arrivera malheur, tu perdras une ligne.

Lorsqu'elle sera complètement vide,

ce sera malheureusement pour toi...

88

En inspectant la pièce où tu te trouves, tu remarques qu'il y a deux portes d'ascenseur. Ce sera plus facile que tu pensais. Tu t'approches. Mais où est le bouton pour ouvrir ces portes? ZUT! Il est au plafond, hors de portée. Tu n'as donc pas le choix, tu dois encore faire « joujou » avec les objets ridicules qui t'entourent si tu veux espérer atteindre le bouton et ouvrir les portes de l'ascenseur. Dans quel ordre dois-tu placer les objets pour réussir cela?

Si tu penses que c'est dans cet ordre-ci, va au numéro 96.

Si tu crois que c'est plutôt de cette façon que tu dois les placer, rends-toi alors au numéro 82.

89 Tu t'approches des objets pour réfléchir encore. À tes pieds il y a un robot, des dominos, une clé à remonter et un pendule de Newton. Tu comprends alors qu'il te suffit d'aligner ces jouets afin de créer une chaîne d'évènements qui se terminera par l'affaissement du château de cartes. De quelle façon dois-tu placer ces objets pour arriver à ce résultat, selon toi?

Si tu penses que c'est dans cet ordre-ci, va au numéro 79.

Si tu crois que c'est plutôt de cette façon que tu dois mettre les objets, rends-toi alors au numéro 84.

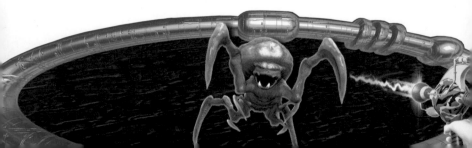

90 **SLOUUUURP!** Drakula, le roi des ténèbres, vient de te mordre au cou et il a bu tout ton sang...

PAUVRE DE TOI! Va au numéro 105.

91 CARAMBA! Tu as perdu une bataille contre Grogro, le gros lourdaud vert des cavernes de l'île aux petits bonshommes verts des cavernes.

Ta batterie à zéro, tu dois aller au numéro 93.

LES PAGES DU DESTIN

92 OH! Dans cette pièce, ça devient vraiment sérieux : il y a un détonateur, un gros pétard, une boule de bowling congelée dans un bloc de glace et un levier. Tu en déduis que c'est en te tenant debout au bout de ce levier que tu parviendras à atteindre la sortie située au plafond. De quelle façon dois-tu alors placer ces quatre objets pour atteindre ton objectif?

Si tu penses que c'est dans cet ordre-ci, va au numéro 83.

Si tu crois que c'est plutôt de cette façon que tu dois mettre les objets, rends-toi au numéro 94.

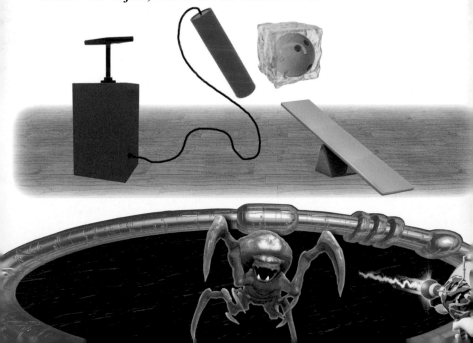

93

COMME C'EST POCHE!

GAME OVER

Enlève un point à ta ligne de vie et recommence la partie au numéro 116.

94

OUI! Lorsque tu appuies sur le détonateur, le gros pétard explose, le feu de l'explosion fait fondre la glace qui entoure la boule de bowling, la boule libérée tombe sur l'extrémité du levier et te soulève.

À l'autre extrémité du levier, debout sur la pointe des pieds, tu parviens à te hisser dans l'ouverture au plafond qui, elle, donne au numéro 77.

LES PAGES DU DESTIN

95 OH NON! Après t'avoir capturé, les petits bons-hommes verts des cavernes te font cuire sur leur BBQ et te mangent avec de la sauce BBQ. MIAM!

Tu n'as pas le choix d'aller au numéro 93.

 96 Après avoir soigneusement placé les objets, tu t'éloignes, car tu ignores ce qui peut se produire. Ensuite, tu appuies sur la détente du pistolet laser afin de crever le ballon bleu, qui laisse aussitôt tomber la roche. La roche bondit sur la conga et atteint le haut de la glissoire. Elle glisse ensuite sur la glissoire et frappe le grille-pain. Du grille-pain est éjectée une rôtie qui heurte et presse le bouton situé au plafond servant à ouvrir les portes de l'ascenseur devant toi. OUF!

L'ascenseur te conduit au numéro 104.

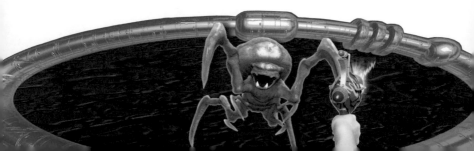

97 OUILLE! Maurice Morice, le méchant monstre monstrueux des marais, te bave dessus.

Va au numéro où tu as décidé de te rendre.

98

SUPER! Rends-toi au numéro 85.

LES PAGES DU DESTIN

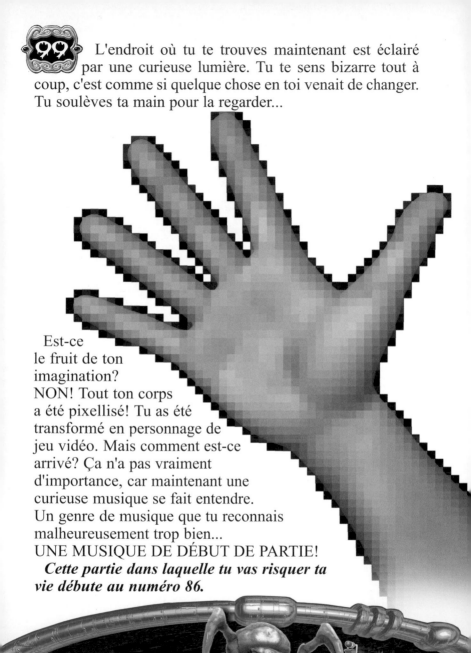

99 L'endroit où tu te trouves maintenant est éclairé par une curieuse lumière. Tu te sens bizarre tout à coup, c'est comme si quelque chose en toi venait de changer. Tu soulèves ta main pour la regarder...

Est-ce le fruit de ton imagination? NON! Tout ton corps a été pixellisé! Tu as été transformé en personnage de jeu vidéo. Mais comment est-ce arrivé? Ça n'a pas vraiment d'importance, car maintenant une curieuse musique se fait entendre. Un genre de musique que tu reconnais malheureusement trop bien... UNE MUSIQUE DE DÉBUT DE PARTIE!

Cette partie dans laquelle tu vas risquer ta vie débute au numéro 86.

Te sachant totalement vulnérable devant la puissance du canon moléculaire du leader zoombien, tu t'inclines devant la supériorité technologique de ces créatures venues du futur. Tu restes donc là, immobile, à l'ombre du grand vaisseau, attendant la fin qui semble toute proche. Alors que le canon pivote et tourne afin de bien t'avoir dans sa ligne de mire, tu es tout à coup ébloui par un rayon de soleil qui se reflète dans une petite mare d'eau devant toi. Tu fermes les yeux et tu les rouvres rapidement, car... TU VIENS D'AVOIR UNE IDÉE!

Rends-toi au numéro 132.

YES! Un « hot-dog-énergie ».

Fais-toi avancer au numéro où tu as décidé de te rendre.

À bord de ce gigantesque destroyer spatial se trouve ce crapuleux... LEADER ZOOMBIEN!

Sous le redoutable bâtiment de guerre, un portail s'ouvre lentement. La répugnante créature se prépare à faire feu sur toi avec son canon moléculaire. Contre cette puissante artillerie, ton krasheur fait figure de ridicule et inoffensif pistolet à eau. Te résignant au sort inévitable qui t'attend, tu laisses tomber ton arme sur le sol. Attristé, tu aperçois le soleil qui se lève à l'horizon. Au moins, toi, tu as pu survivre jusqu'ici pour le voir se lever. Tout le monde n'a pas eu cette chance.

Tu dois aller au numéro 100. Désolé... TU N'AS PAS LE CHOIX!

LES PAGES DU DESTIN

FRRRRR! Zut! Tu es passé trop près du flambeau accroché au mur du château et tu brûles.

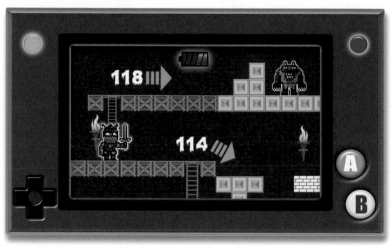

PETIT BOBO! Fais-toi avancer au numéro inscrit sur l'écran où tu as décidé d'aller.

104 Un large sourire s'étire sur ton visage lorsque tu constates que tu es de retour dans les ruines de l'usine Vortex. Mais ton sourire fait vite place à une moue méprisante lorsque tu aperçois les trois Zoombiens. Chargés par leur leader de t'achever si jamais tu t'en sortais, ils te fixent d'un air méchant.

Rends-toi au numéro 117.

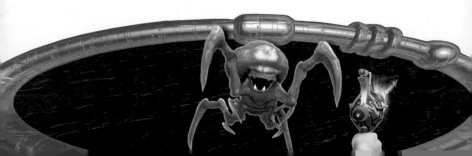

VRAIMENT « MÉDIÉVALE », ta technique de jeu, n'est-ce pas? Mais ne te laisse pas abattre. *Enlève un point à ta ligne de vie et va jouer une autre partie au numéro 87.*

AAAAAAAAH! Tu es tombé dans un trou sans fond.

Tu n'as pas le choix d'aller au numéro 93.

GRRRRR! Tu arrives face à face avec le très méchant Ramone, le petit punk aux cheveux verts de l'île aux petits bonshommes verts des cavernes. AÏE!

PAUVRE DE TOI! Va au numéro 93.

108 YEAH! Une « pinotte » revitalisante fortifiée et vitaminée. Mmmmm! Comme c'est bon...

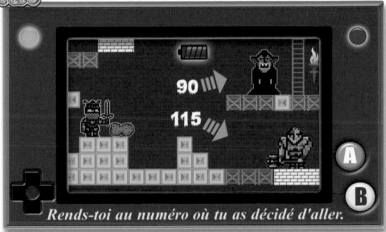

Rends-toi au numéro où tu as décidé d'aller.

109 OUILLE! Le vieux vieillard vieillissant du village te brûle avec son flambeau.

Fais-toi avancer au numéro de ton choix.

LES PAGES DU DESTIN

SIIIIIIIOUP! SIIIIIIIOUP! SIIIIIIIOUP! Robin Dubois, l'archer, vient de tirer trois flèches vers toi.

Ta batterie à zéro, tu dois aller au numéro 105.

BONG! Recevoir un coup de crâne sur le crâne... ÇA FAIT TRÈS MAL! Mais YIPIII! Tu es tout de même arrivé à vaincre ce méchant pour te rendre...

... jusqu'à la fin du jeu, au numéro 113.

POUTOUF! Tu as posé le pied sur un crâne explosif. ZUT!

PAS GRAVE! Fais-toi avancer au numéro que tu as choisi.

BRAVO! Rends-toi au numéro 85.

114 AAAAAAAAAAAAH! Tu es tombé dans les oubliettes du château.

Tu chutes jusqu'au numéro 105.

115 **BONG!** Recevoir un coup de massue sur la tête, ça réveille... OU ASSOMME! YIPIIIII! Tu as tout de même vaincu ton ennemi.

Tu es arrivé à la fin du jeu, au numéro 98.

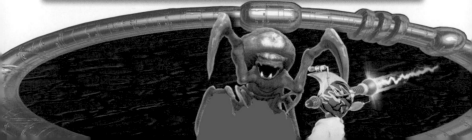

ALLEZ, SUPER GINO! ***Rends-toi au numéro où tu veux te diriger dans le jeu.***

SURVEILLE BIEN TA BATTERIE!
À chaque fois qu'il t'arrivera malheur, tu perdras une ligne.

Lorsqu'elle sera complètement vide,

ce sera malheureusement pour toi...

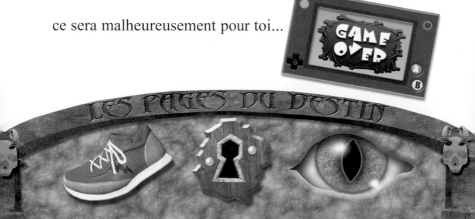

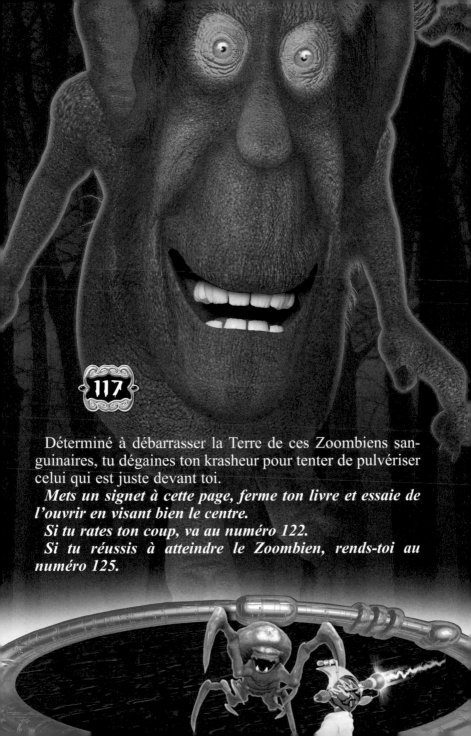

117

Déterminé à débarrasser la Terre de ces Zoombiens sanguinaires, tu dégaines ton krasheur pour tenter de pulvériser celui qui est juste devant toi.

Mets un signet à cette page, ferme ton livre et essaie de l'ouvrir en visant bien le centre.

Si tu rates ton coup, va au numéro 122.

Si tu réussis à atteindre le Zoombien, rends-toi au numéro 125.

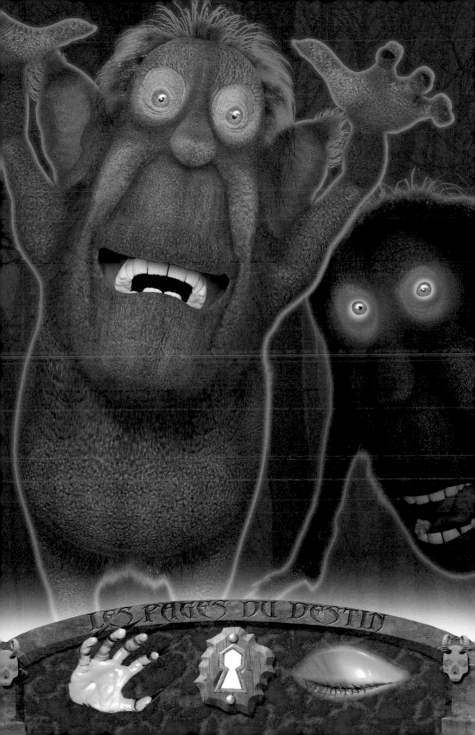

CHRRRRRR! Tu viens de te faire égratigner par Lou, le loup-garou.

Tu n'as pas le choix d'aller au numéro 105.

Comme si tu sortais d'un long et profond sommeil, tu ouvres les yeux. Que s'est-il passé? Tu as mal partout, surtout à la mâchoire, qui étrangement est complètement ouverte. OUI! Elle te fait terriblement mal. Étendu et immobilisé solidement sur une sorte de table d'opération, tu refermes les yeux, ébloui par ces puissants projecteurs qui te couvrent d'une lumière beaucoup trop vive. Tu tentes de fermer la bouche, mais tu en es incapable. Un très complexe appareil métallique genre « broches d'orthodontiste surdimensionnées » la maintient grande ouverte.

Tu entends tout à coup un mécanisme infernal qui s'active près de toi. Au-dessus de ta tête, un bras robotisé apparaît. Entre les pinces situées à son extrémité, le bras tient une petite cabine de commandes. À l'intérieur de la cabine, il y a un... ZOOMBIEN!

Lentement, avec précision, le bras robotisé introduit et positionne dans ta bouche le petit appareil ainsi que son occupant. En seulement quelques secondes, tu te retrouves infecté, et assimilé. Maintenant, tu es toi aussi... UN CRUEL CYBORG!

FIN

LES PAGES DU DESTIN

Tu l'as raté!

L'un des deux Zoombiens place alors son cyborg exactement devant toi et fait feu à son tour. Des deux yeux de sa puissante machine vivante, de violents rayons jaillissent et te frappent de plein fouet.

Cinq points de ta ligne de vie viennent de disparaître d'un seul coup. Prêt à riposter malgré tes blessures, tu te places devant lui pour tirer.

Vise bien le centre de ton livre.

Si tu rates ton coup, va au numéro 129.

Si tu réussis à atteindre le Zoombien, rends-toi au numéro 123.

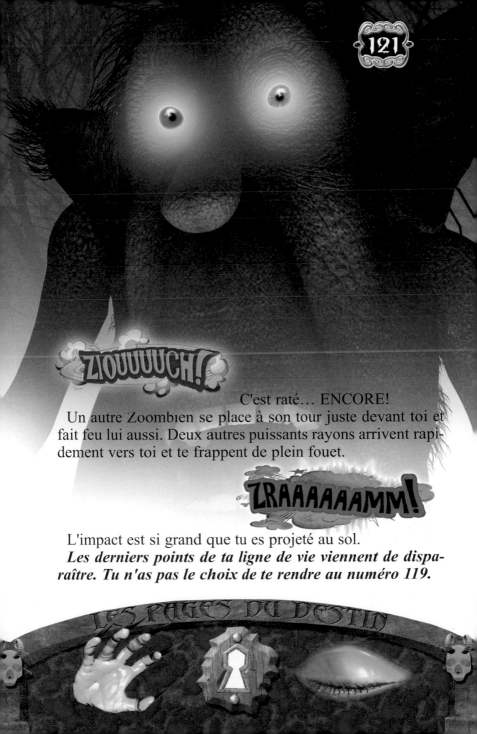

ZIOUUUUCH!

C'est raté… ENCORE!
Un autre Zoombien se place à son tour juste devant toi et fait feu lui aussi. Deux autres puissants rayons arrivent rapidement vers toi et te frappent de plein fouet.

ZRAAAAAAMM!

L'impact est si grand que tu es projeté au sol.
Les derniers points de ta ligne de vie viennent de disparaître. Tu n'as pas le choix de te rendre au numéro 119.

LES PAGES DU DESTIN

ZIOUUUUCH!

Tu as raté ton tir…

Le Zoombien fait tourner son cyborg dans ta direction, vise et fait feu à son tour. Des yeux de sa machine mi-monstre mi-robot, deux rayons destructeurs jaillissent et te heurtent violemment.

ZRAAAAAAMM!

Il t'a atteint de plein fouet!

Cinq points de ta ligne de vie viennent de disparaître d'un seul coup. Mais la confrontation est loin d'être terminée. Tu pointes à nouveau ton krasheur vers lui et tu appuies sur la détente.

Mets un signet à cette page, ferme ton livre et essaie de l'ouvrir en visant bien le centre.

Si tu rates encore ton coup, va au numéro 121.

Si tu réussis à atteindre le Zoombien, rends-toi au numéro 124.

Bien visé!

Tu as réussi à pulvériser un deuxième Zoombien.

Maintenant certain de pouvoir gagner la bataille, tu pointes vite ton krasheur en direction du dernier Zoombien et tu appuies sur la détente…

Vise avec ton livre…

Si tu rates ton coup, va au numéro 130.

Si tu réussis à l'atteindre, rends-toi au numéro 127.

Tu as enfin pulvérisé ton premier Zoombien.

Celui-ci explose comme un feu d'artifice entre ses deux compères stupéfaits. Sans attendre une seconde de plus, tu pointes ton arme et tu tires encore en espérant en atteindre un autre.

Vise avec ton livre...

Si tu rates ton coup, va au numéro 129.

Si tu réussis à atteindre un autre Zoombien, rends-toi au numéro 123.

125

SUPER! Tu as réussi à pulvériser un Zoombien!

Très en colère, les deux autres vont tout faire pour venger leur ami. Cependant, tu ne leur donneras pas le temps de réagir. Tu pointes ton krasheur dans leur direction et tu tires.

Vise encore avec ton livre…

Si tu rates ton coup, rends-toi au numéro 120.

Si tu réussis à atteindre un autre Zoombien, va au numéro 128.

126

TU AS ENCORE MAL VISÉ…

Sachant maintenant qu'il te tient à sa merci, le dernier Zoombien s'esclaffe d'un rire diabolique. Ensuite, il tourne son cyborg dans ta direction et presse le bouton rouge devant lui pour faire feu. Encore une fois, les yeux de sa machine maudite lancent deux rayons fatals qui te heurtent violemment.

Les cinq derniers points de ta ligne de vie viennent de disparaître. Va au numéro 119.

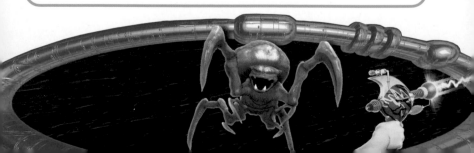

YES! Tu l'as pulvérisé lui aussi! Le cyborg du dernier Zoombien s'écroule au sol comme un château de cartes et explose comme une cannette de boisson gazeuse échappée par terre... ÇA GICLE DE PARTOUT!

Tu as peut-être gagné cette bataille, mais tu n'as pas encore remporté la victoire finale! NON! Car il te reste encore à abattre ce leader zoombien, celui qui t'a rendu une petite visite dans ta chambre, et qui te nargue depuis le début de cette aventure. Pourras-tu le retrouver et l'éliminer lui aussi? Si tu ne réussis pas, cet ignoble Zoombien risque de revenir dans quelques années avec des milliers de petits postes de commande. Il recommencera alors à transformer les êtres vivants en cyborgs jusqu'à ce qu'il parvienne à s'approprier... LA TERRE ENTIÈRE!

Soudain, un retentissant grondement se fait entendre... C'EST LE LEADER ZOOMBIEN! Tu n'as pas eu à le chercher, il est venu jusqu'à toi...

Tu lèves la tête au numéro 102.

128 WOW! TU AS RÉUSSI À PULVÉRISER UN DEUXIÈME ZOOMBIEN! Tu te places directement devant le dernier et tu fais feu vers lui...

Vise avec ton livre...
Si tu rates ton coup, va au numéro 131.
Si tu réussis à l'atteindre, rends-toi au numéro 127.

129

Tu as encore raté ton tir…

Le Zoombien tourne son cyborg, te vise et fait feu à son tour. Des yeux de sa machine infernale, les rayons destructeurs jaillissent à nouveau et t'emboutissent.

Cette dernière déflagration t'est bien sûr fatale…

Les cinq derniers points de ta ligne de vie viennent de disparaître. Va au numéro 119.

130

C'est raté…

Le dernier Zoombien fait feu à son tour. Des yeux de sa machine, deux autres rayons destructeurs jaillissent et te frappent très fort en pleine poitrine.

Les derniers points de ta ligne de vie viennent de disparaître d'un seul coup. Rends-toi au numéro 119.

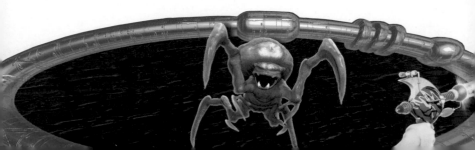

C'est raté…

Ce dernier Zoombien en a plus qu'assez de s'amuser avec un simple habitant de la Terre comme toi, et il montre des signes évidents d'impatience.

Maintenant en colère, il te vise à son tour et fait feu. Des yeux lumineux de sa machine mi-monstre mi-robot, les deux puissants rayons surgissent.

Tu tombes à la renverse sur le sol.

Cinq points de ta ligne de vie viennent de disparaître d'un seul coup. Avec difficulté, tu te relèves et tu pointes une nouvelle fois ton krasheur vers ton adversaire.

Vise bien avec ton livre.

Si tu rates encore ton coup, va au numéro 126.

Si tu réussis à atteindre ce dernier Zoombien, rends-toi au numéro 127.

Avec cette idée en tête, tu décampes en direction du lac. Dans le ciel, le Zoombien manœuvre et fait avancer son vaisseau pour te prendre en chasse. Arrivé au lac, tu cours sans t'arrêter dans la grande nappe d'eau peu profonde pour te positionner au beau milieu. Dans l'eau jusqu'aux genoux, immobile, tu attends maintenant les deux mains placées devant tes yeux. Lorsque finalement le vaisseau du Zoombien arrive juste au-dessus de toi, il tire avec son canon moléculaire.

Le rayon destructeur touche la surface miroitante du lac autour de toi et rebondit pour ensuite frapper avec force le grand vaisseau. Ce dernier se balance dangereusement entre les nuages pendant quelques secondes puis explose en un retentissant feu d'artifice.

Prenant tes jambes à ton cou, tu parviens au dernier moment à t'écarter de la trajectoire de l'épave en feu qui termine sa chute en s'écrasant dans le lac.

Les deux mains sur tes genoux, tu reprends ton souffle. Tu es épuisé, mais euphorique à l'idée d'avoir sauvé ta vie, et la Terre de surcroît.

OUI! Les habitants de tous les pays du monde te seront éternellement reconnaissants d'avoir délivré la planète d'un si redoutable envahisseur. Sur tous les continents seront érigées des statues à ton effigie. Ton nom figurera aussi dans tous les livres d'histoire de toutes les écoles du monde, et ce, dans toutes les langues. Tu deviendras la plus grande de toutes les légendes! Mais pour célébrer dignement ta victoire, tous les humains commenceront par faire en ton honneur... UNE GRANDE PARADE!

FÉLICITATIONS!
TU AS RÉUSSI À TERMINER TON AVENTURE...